Kilo et Ti-pou

dans le pétrin

Pour Jayne et Tucker — S.H.

Pour Priscilla — L.H.

Catalogage avant publication de Bibliothèque
et Archives Canada

Hood, Susan
Kilo et Ti-pou dans le pétrin / Susan Hood; illustrations
de Linda Hendry; texte français d'Hélène Pilotto.

(J'apprends à lire)
Traduction de : Pup and Hound in Trouble.
Pour les 4-7 ans.
ISBN 0-439-95806-7

I. Hendry, Linda II. Pilotto, Hélène III. Titre. IV. Collection.

PZ26.3.H66Kic 2005 j813'.54 C2004-905196-2

Conception graphique : Julia Naimska

Édition publiée par les Éditions Scholastic, 175 Hillmount Road, Markham (Ontario) L6C 1Z7, avec la permission de Kids Can Press Ltd.

5 4 3 2 1 Imprimé et relié en Chine 05 06 07 08

Kilo et Ti-pou dans le pétrin

Texte de Susan Hood
Illustrations de Linda Hendry

Texte français d'Hélène Pilotto

Quel est ce bruit?

Qui jappe, pas très loin?

Oh! oh! Ti-pou a besoin

d'un coup de main!

Ti-pou réussit

à sortir de l'enclos.

Kilo lui évite un vilain

coup de sabot.

Pouah! Quel dégât!

Au bain, petit chiot!

Mais voilà que Ti-pou...

...se prend pour un crapaud!

Ti-pou nage, nage.

Flic! Flac! Flic! Ouiiin!

Oh! oh! Ti-pou a besoin

d'un coup de main!

Il est pris dans les herbes

de l'étang.

— Coin-coin! crie maman cane

au jeune imprudent.

Kilo nage vite

vers le chiot.

Il travaille fort

pour le sortir de l’eau.

Ti-pou se secoue.

Les fleurs sont bien arrosées.

— MIAOU! proteste le chat,

qui déteste être mouillé.

Couac! Couac! Couac!

Wouf! Wouf! Wouf! Ouiiin!

Oh! oh! Ti-pou

a encore besoin

d'un coup de main!

Kilo se précipite

pour protéger son ami.

Quand il se retourne,

Ti-pou est déjà parti.

Groin! Groin! Hiiiii! MEUH!

Quel vacarme étrange!

Kilo file tout droit

vers la vieille grange.

Tous les animaux
regardent en l'air.
Ti-pou est là-haut.
Que va-t-il encore faire?

En reculant d'un pas,

Ti-pou renverse grain et moulée.

La nourriture se déverse

comme une pluie d'été.

Un festin tombé du ciel :

comme c'est bon!

Vive Ti-pou!

Vive les collations!

Brave Ti-pou!

Grâce à lui, tout le monde

est content...

...sauf une personne,

évidemment!